¡Piiii!

Consuelo Armijo

Premio Lazarillo 1974

Ilustraciones de Antonio Tello

ediciones **sm** Joaquín Turina 39 28044 Madrid

4

¡QUÉ contento
se despertó Javier
aquella mañana!
Y la cosa no era para menos:
¡era su cumpleaños!

Javier llevaba exactamente un año
esperando ese día.
¿Cuántos regalos tendría?
En pijama y sin zapatillas
fue corriendo al cuarto de estar.

Ahí estaban
los dos primeros regalos:
un perro,
de sus abuelos,
y un tren eléctrico,
de sus padres.

Javier no cabía en sí
de contento.
El perro era pequeño,
pero ya andaba y ladraba.

—¡Guau! ¡Guau! —decía.

—Anda, Javier, lávate,
vístete, desayuna
—le decía su madre.

Pero Javier no hacía caso.
Lo único que quería
era jugar con el perro
y, luego, armar el tren.

En esto llegaron dos tías suyas
hermanas de su abuelo,
para felicitarle.
Eran unas tías
que siempre estaban diciendo
que Javier era muy mal educado,
así que la armaron
cuando le vieron en pijama.

—¿Pero todavía así?

—Se va a enfriar.

—¡Pero si hace calor!
–dijo Javier.

—¡Cállate, replicón!–
Y además no se ha lavado.

—Tiene los ojos
llenos de legañas.

—Nada, que nos vamos
y no te damos el regalo.

Pero en vez de irse,
como debían,
se sentaron en un sofá.
Javier estaba desesperado.

Con ellas delante
no se podía jugar.
Así que fue a lavarse y peinarse.

Luego, se vistió y desayunó
cacao con galletas.

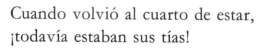

Cuando volvió al cuarto de estar,
¡todavía estaban sus tías!
—Ahora sí,
ahora sí te damos el regalo
–dijo una de ellas
sacando de su bolso
una enciclopedia.

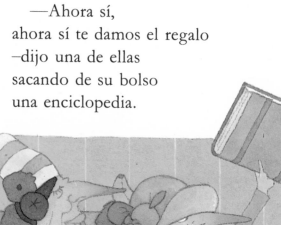

¡Pues vaya regalo!
¡A Javier le dio una rabia!
   —Toma, toma
–le decían sentadas en el sofá,
dispuestas a pasar ahí
la mañana.

Y entonces
sucedió una cosa sorprendente:
el sofá salió volando
por la ventana,
llevándose a las dos tías,
que chillaban un horror.
¡Ah!, y la enciclopedia también.

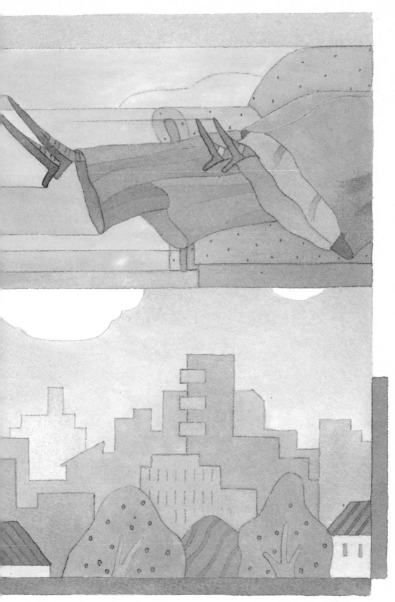

17

—¿Pero qué pasa? —dijo la madre entrando—. ¿Y las tías? ¿Y el sofá?

—Se fueron —dijo Javier.

La madre se asomó a la ventana,
pero las tías y el sofá
eran sólo un puntito en la lejanía
que no se distinguía.

—No entiendo nada
–dijo la madre–.
Eso es que tú
has hecho una barrabasada.

—Yo no –contestó Javier.

La madre se fue hacia la puerta.

—Mira que las tías
llevarse el sofá...
¿Quién lo iba a pensar?

—Pero no,
ha sido el sofá
el que se las has llevado a ellas.

La madre no hizo caso
y se fue.

Entonces Javier
empezó a montar
la vía del tren.
También había puentes
y túneles.
Había ríos, ciudades
y campos con ovejas y vacas.

¡Era una maravilla!
Javier estaba muy contento.
Lo miraba y lo remiraba,
y de repente:
    —¡Muuu! –hizo una vaca.
    ¡Si era de verdad!

¡Y las ovejas también!

—¡Beee! ¡Beee! —hacían.

El río, las ciudades,
hasta el tren,
todo era de verdad.

Y Javier y su perro estaban ahí,
al lado de un vagón.
Javier ni lo dudó
y se montó en él.
  —¡Guau! –dijo el perro
montándose detrás.

Como el tren no tenía conductor,
Javier decidió conducir él.
Puso la máquina en marcha
y, «¡piiii!»,

empezaron a recorrer campos
y ciudades,
puentes y túneles.
¡Qué gusto daba correr
y sentir el viento en la cara!

«¡Piiii! ¡Piiii!», sonaba
mientras la gente,
al verlos,
les decía adiós con los pañuelos.

Pasaron por una ciudad
donde todos estaban constipados
a pesar de ser verano.

—¡Atchús! ¡Atchús! —estornudaban.

—Debe de ser por dormir
con las ventanas abiertas
–dijo Javier,
que tenía mucha experiencia,
y el perro meneó el rabo
en señal de asentimiento.

Luego, llegaron al mar,
que estaba surcado
por tres barcos veleros:
uno rojo,
otro amarillo
y otro blanco.
Estaba tan bonito
que el perro ladró
de puro contento.

Y rodando, rodando,
llegaron al puerto,
donde se iba a celebrar una boda.
Enfrente de la iglesia
había muchos gatos.
¿Habrían sido invitados?

Al perro esto no le gustó nada.
Los gatos eran sus enemigos
y se puso a ladrar con tal furia
que los gatos se asustaron
y se subieron encima de la novia.

El fotógrafo,
que le estaba haciendo un retrato,
disparó en ese momento.
Así que en la fotografía
la novia salió
llena de gatos por encima.

En esto,
tanto Javier como el perro
empezaron a tener hambre.
Así que pararon en un hotel
que se llamaba
el Hotel del Puntapié,
en el que había un caldero
que siempre estaba lleno
de purés de diferente sabor cada vez.

El hotel estaba dirigido
por un cerdo que se escapó,
porque él era muy limpio
y no le gustaba
vivir en una pocilga.

En el hotel había un huésped
que era fantasma.
Se instaló allí
porque estaba harto
de vagar por las noches
haciendo «¡Uuuuh!»,
y que todo el mundo se riera de él.
   —En vez de fantasma
pareces un fantoche
–le decían las ardillas
y los conejos,
que eran unos mal educados.

Todas las noches,
en el Hotel del Puntapié,
el fantasma salía al patio
a hacer «¡Uuuuh!».
Así se hizo amigo de una lagartija
que, cuando lo oía,
siempre salía a escucharlo.

El cerdo preparó una mesa
para Javier y su perro
y les dio de comer puré de café.

Luego,
aunque no era de noche,
el fantasma salió al patio
para que lo vieran
y empezó a hacer «¡Uuuuh!».

Al instante
apareció la lagartija
y se quedó quieta, quieta,
escuchándolo.
Ni siquiera
se le meneaba el rabo.
Los dos formaban una pareja
tan conmovedora
que al perro
se le saltaron las lágrimas
y Javier sintió una cosa muy rara
en la garganta.

Pero,
como tenían que seguir su camino,
se montaron en el tren
y se fueron sin pagar,
porque el Hotel del Puntapié
era gratuito.

Y rodando, rodando,
vieron muchas ovejas blancas
y una negra.

43

En esto,
Javier se acordó
de que su padre siempre avisaba
si no iba a comer a casa.

Así que paró en una estación
y puso un telegrama a su madre
que decía:
«Hemos comido puré de café.
Iremos después. Javier».
El perro también firmó
y resultó que se llamaba Mor.

El tren ya daba la vuelta.
¡Menos mal,
porque Javier tenía una fiesta!
Iban a ir amigos a su casa,
y habría tarta
y también más regalos
para celebrar su cumpleaños.

Pero ¡qué mala suerte!
Al llegar a un paso a nivel,
tuvieron que parar
para que pasara otro tren.

—¡Piiii! ¡Piiii!
—se le oía venir.

Por fin llegó
y ¡qué de vagones tenía!

—Adiós, adiós
—decían Javier y Mor
asomados a la ventanilla.

Cuando el tren pasó,
el paso a nivel se abrió
y Javier y Mor
continuaron su camino.

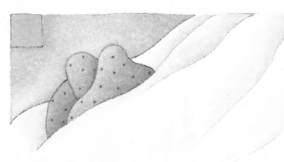

En esto,
se metieron en un túnel negro
que era muy largo.
Mor estaba asustado.

—¡Guau! ¡Guau! —ladraba.

—No pasa nada —decía Javier,
que no tenía miedo.

49

50

Por fin salieron.
El sol todo lo iluminaba.
¡Parecía una naranja colorada!

Pasaron por un pueblo
que tenía muchas flores
en los balcones.

Cuando salieron del pueblo
divisaron, ahí a lo lejos,
una ciudad,
y en la ciudad, su casa.

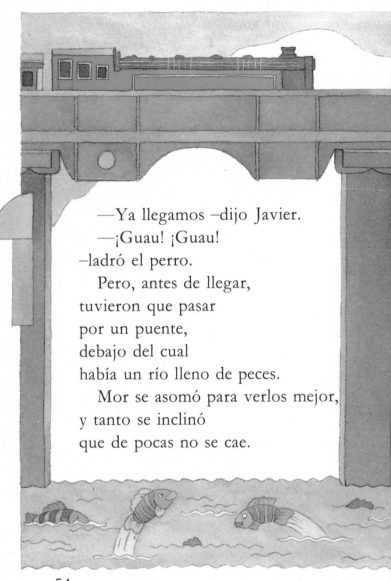

—Ya llegamos –dijo Javier.

—¡Guau! ¡Guau!
–ladró el perro.

Pero, antes de llegar,
tuvieron que pasar
por un puente,
debajo del cual
había un río lleno de peces.

Mor se asomó para verlos mejor,
y tanto se inclinó
que de pocas no se cae.

Ya entraban en su ciudad,
ya llegaban a su casa.
—¡Piiii! ¡Piiii!
–hizo el tren.

Y todos los vecinos se asomaron.

El tren entró en el portal.

—¡Qué barbaridad!
–dijo el portero.

En la escalera había una vía
y el tren empezó a ir
hacia arriba.

La madre de Javier corrió
a abrir la puerta.
El tren entró por ella.
Y ¿sabéis lo que pasó?
Pues que su tamaño cambió.
El tren volvió a ser pequeñito
y Javier y Mor
tuvieron que salir deprisa
porque ya no cabían.

En la casa
estaban los amigos de Javier,
que ya habían llegado
con sus regalos.

Todos aplaudieron
cuando vieron a Javier,
su perro y el tren.

61

Luego, merendaron
y tiraron confetis y serpentinas.
¡Aquél fue un gran día!